W9-CMZ-733

MÁS QUE VIÑETAS
Quipu

FABIÁN SEVILLA

Me llamo Fabián Sevilla, pero me conocen como "el mendocino que vuela en calesita". ¿Por qué? Porque nací en 1970 en Mendoza, donde vivo junto a mi gato Pok, y porque como escritor "vuelo" con la imaginación. He publicado libros en Argentina y otros países.
Te sugiero que leas *Vampíricas vacaciones, El resfrío del Yeti* y *Amadeo y su sombrero*. Fueron publicados por QUIPU, editorial que me dio el honor de escribir las historias de Puro Pelo. Me enamoré de ella apenas la conocí en una Feria del Libro y quise crearle aventuras tiernas y emocionantes sobre temas que, creo, deben aparecer en los libros para lectorcitas y lectorcitos. ¡Espero que les gusten!

¡Señor, cuántos cuentitos tiene en la cabeza!
Juan Chavetta

JUAN CHAVETTA

Nací en Zárate, y soy ilustrador y Diseñador gráfico. He publicado mis trabajos en revistas como *PIN*, *El Gourmet* y *Caras y Caretas*; y creado diseños tanto para marcas deportivas como obras de teatro infantil. También participo mucho en eventos culturales y educativos del país.
Además, publico en editoriales dedicadas a los más chicos. *Primer susto, El resfrío del Yeti* y *Cerebro de monstruo* son algunos de los libros que tuve el placer de ilustrar.
En QUIPU he publicado *Puro Pelo 2,* libro en el que aparece el personaje más querido por todos, Puro Pelo, junto a sus amigos. Ya tiene más de 150 mil seguidores en *Facebook* ¡y sigue sumando fanáticos!
¡Muchas gracias a tuttis por seguirnos!

Puro Pelo
EL GATO Y LA MARGARITA

JUAN CHAVETTA
FABIÁN SEVILLA

PRÓLOGO

Cuando me enteré de que Fabián Sevilla y Juan Chavetta pensaban publicar algunos libros juntos, tuve ganas de acercarme al lugar donde se reunían y colgar un cartel que dijera: "Silencio, genios trabajando".

Después..., a que no adivinan qué hice. ¡Sí! Eso mismo. Los espié. Los espié y me enteré de qué se trataba.

Les cuento que prepararon una colección de historietas que tienen a Puro Pelo, a su familia y a sus amigos como protagonistas. En cada libro se refieren a un tema diferente, inteligente y divertido, muy divertido.

Desde ya que no me extraña que sea así. Es que mis dos amigos son dos genios. Dos genios que hacen cosas ma-ra-vi-llo-sas. ¿Qué dicen? ¿Les parece que exagero? A mí, no. Pero, bueno, si piensan así, lean y relean las historias.

Estoy segura de que van a gustarles del principio al fin. Van a ver que mi mejor amigo Fabián Sevilla es lo más y que mi otro mejor amigo Juan Chavetta también es lo más. Y juntos, los dos son lo mejor del mundo mundial.

OLGA DRENNEN

Cuidar animalitos es ayudar a la Naturaleza a hacer los deberes...

Puro Pelo, esto parece el Arca de Noé.
Se nota que te gustan los bichitos.
¡Me parecen muy *veri biutifuls*! Por eso me ocupo de ellos...

...En la merienda, le doy galletas para perros a Flequi. ¡Las de huesitos son sus favoritas!

...Limpio la pajarera de Piopá. ¡Él me ayuda a limpiar con sus alitas!

...Intento sacarle el barro a Oink.
¡A veces, se pasa de cerdito!

Y aunque no sepa si es un animalito,
también cuido al Señor Cuco.

¡Todos ellos son mis amigos
y amigos de mis amigos!

Me gustaría tener otro amiguito.
¡Voy a pedirle permiso a mis papis!

Dos días después...
¡LIBERTAD!
¡LIBERTAD!
¡Prrr!
¡Prrr!
¡Qué bueno que me compraron estas cotorritas! Y no tengo que enseñarles a parlotear.

Pero...
¡LIBERTAD!
¡Prrrr!
¡LIBERTAD!
¡Prrrr!

Más "peros"...
¡LIBERTAD!
¡Prrrr!
¡LIBERTAD!
¡Prrrr!
¡Esa parejita no sabe decir otra cosa!

Y cansada de tantos "peros"...
No saben decir otra cosa, pero saben bien lo que quieren...

Todo niño tiene derecho a compartir su libertad con los demás.

Esa misma mañana...
Hiciste bien, Pelito. Las aves y las jaulas no son una buena mezcla.

Pero yo quiero otro animalito en casa.
Podría ser algo que no tenga alas.

Y, entonces, por la tarde...
Ramón, te presento a tuttis tus nuevos amigos.

Puro Pelo, vení a saludar. Llegó la tía Eduviges.
Mami, decile que venga ella. Le estoy dando el almuerzo a Ramón.

¡Abachobecho a la tía!
¡¿Y ESOOO?!

Ya en el interior de la casa...
¡AAAAAHHHH!
Aunque se parezca muchito a un ratón, tía, es un hámster.

Creo que vamos a tener que devolverlo.
O la tía Eduviges dejará de visitarnos para evitarse los chichones de cada desmayo.

Tres días después...
Los peces que me regalaron son *veri biutifuls*, pero me parecen aburridos. ¡Nadan sin hacer un solo ruido!

¡Ya sé qué hacer!

Doña Marité, se los presto. Su marido es sordo, seguro podrá leerle los labios a los peces y así tendrá con quién conversar.
¡Gracias, Puro Pelo!

Seguí insistiendo que quería otro animalito.
Me regalaron una tortuga porque me saqué un "10 felicitado" en la escuela.
La llamé Eduviges, para quedar bien con la tía.

Después de darle de comer
zanahoria hervida, se enterró
en el jardín. Tuve que organizar
una brigada de búsqueda con
Reni y Amelia ¡Tortuga mala!
No pudimos encontrarte.

Dos noches después...
Me doy por vencida, Señor Cuco. Tal vez no sea momento de tener otro animalito...

¿Y eso? Papáaa... mamáaa... ¡Creo que están lloviendo cajas!

Adentro hay algo...
¡Y se mueve!

Es un gatito marinero. ¿Qué hacemos?
Por ahora, llevarlo a casa y mañana decidimos.
¡MIIIAAAUUUU!

En la veterinaria...
Está algo resfriado,
pero es fuerte y sano.
¿Y qué hacemos
con él?
¡MIIIAAAUUUUU!

No tiene alas, ni parece ratón,
tampoco va a enterrarse en el jardín.
¡Y NECESITA UN HOGAR!

¡MIIIAAAUUUUU!

¿Cómo lo vas a llamar, Pelito?
¡ACHUJ!
¡ACHUJ!
¡ACHUJ!

Te contestó con sus estornudos, pa... Voy a llamarlo Achuj.
¡ACHUJ!
¡ACHUJ!

¡Achuj parece un peluche!
¿Qué está haciendo?
No sé, Reni. Tuttis los días sale al patio y se echa un rato frente a esa flor que plantó mi mamá.

Se levanta y se porta como todo cachorrito de gato...
GRUIMMM...
GRUIMMM...
Maúlla finiiiiito a toda hora...
¡MIIIAAAUUUUU!
¡MIIIAAAUUUUU!

Juega con una
caja que, para él,
es como una plaza...
...Hace noni noni después de
apretarme los pelos con las patitas,
como si amasara pan.

...Pero siempre, en alguna hora del día,
se queda quietito mirando la margarita.
No la mastica.
Tampoco hace huequitos en la tierra.
Ni se afila las uñas con la maceta.

Solo mira la flor. Es muy veri raro, ¿no?

Achuj ya tiene cuatro meses...
¡Todo un cachorrón! ¿Y se porta bien el michifush?
¡No hace ni un chachito de lío, tía!

Se hizo veri veri amigo de Flequi...

...No rompe nada...

...Come su comida sin decir ni mu, digo, ni ¡miau!...

Le gusta muchito que lo llevemos
al veterinario.

...Y no le importan ni esto los ratones.

Pero también
se queda un tiempito
mirando una margarita.
La mira nada más.
¡Ni idea de por qué
hace eso, tía!

Achuj ya cumplió ocho meses...
HOY PRESENTAMOS A NUESTROS ANIMALITOS
¡Gracias Reni! Puro Pelo es tu turno.

¿Y qué le gusta hacer, Puro Pelo?
Mi mamá hizo cálculos y si mi gato fuera humano, tendría diez años.

De día, cuando no hace noni noni,
se le da por el deporte...

Y creo que cuando aprenda,
le va a gustar muchito leer.

En las noches, le canta
a una amiga que tenemos
en común...

...También canta cuando escucha
a las gatas que buscan novio.

...Achuj enamoró a muchas gatitas.

A mí me gusta sacarle fotos.
Aquí está haciendo noni noni en la mañana...

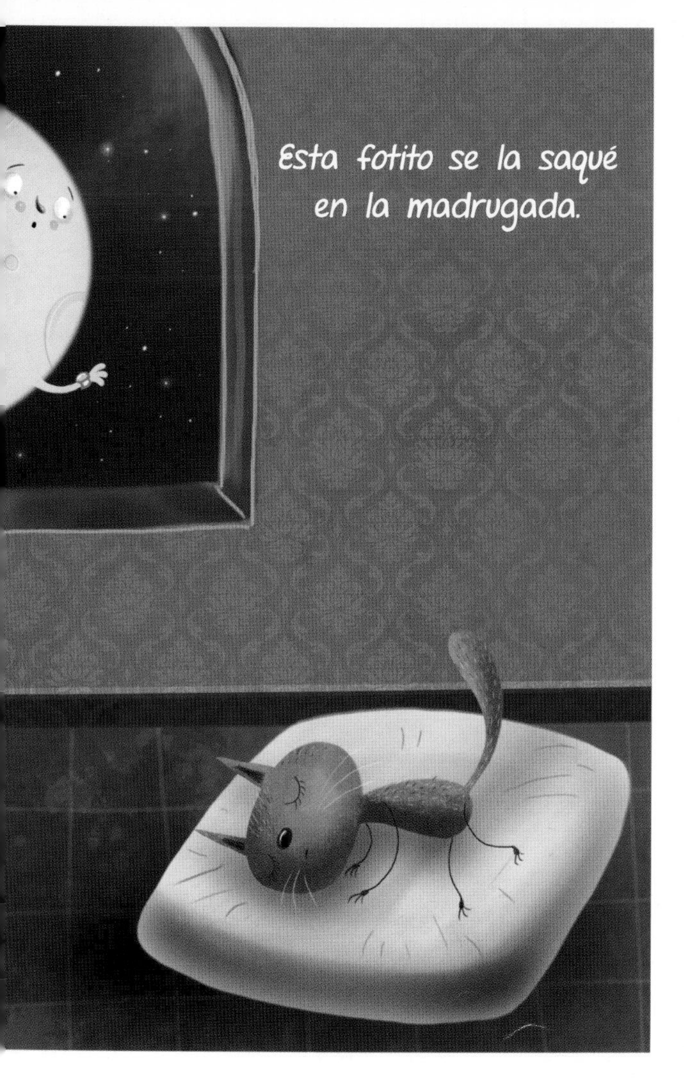
Esta fotito se la saqué
en la madrugada.

¡Papá me dijo
que los mininos hacen
noni noni 18 horas
por día!
...Mírenlo durmiendo en la tardecita,
antes de irse a dormir toda
la noche sobre mi cabeza.

Y también tengo fotos donde aparece haciendo lo que hace tuttis los días.
¿Qué hace?
Y... se la pasa un buen rato frente a una margarita.

Seño, ¿un gato también puede enamorarse de una flor?

Un día...
Papá... mamá...
¡Achuj no come ni siquiera
el pollo que siempre
le paso de mi plato sin
que ustedes se den cuenta!

Apenas puede caminar.

Y le cuesta
tomar agua.

En la veterinaria...
Debe estar muy *veri* mal, doctor.

Hummm... Tiene un poco lastimada la piel.
Sí, hace días nos dimos cuenta. ¡Y no se le cura!

Los gatos, igual que los humanos y otros animales, pueden enfermarse mucho.
Pero, ¿se va a curar?
Los que están muy enfermos no siempre se curan, Pelito.

Vamos a hacerle unos exámenes...
No te preocupes, vas a estar al pelete pelito Achuj.

Unas semanas después...
¡Tutti mal, Pirincho! Mi papá me explicó que Achuj está muy enfermo y que hay que internarlo.
¡Qué noticia más triste!

Hace como dos semanas lo operaron.

Y después empezaron a hacerle un tratamiento.

¡Entonces, Achuj se puede curar!
No, Pirincho. El viernes, el doctor dijo que ya no se podía hacer nada más.

Cada día está más flaco y ya no puede pararse. Solo tiene fuerzas para su tiempito frente a la margarita.

Y hoy el doctor dijo
que Achuj no iba
a mejorarse.
Aunque me dio pena,
entendí.
¡Sos muy valiente,
Puro Pelo!

Al otro día
Si ya Achuj no está, ¿a dónde se fue?

Ma, ¿adónde se van los gatos cuando les pasa lo mismo que a Achuj?
No lo sé, Puro Pelo. A lo mejor, hay un cielo para los mininos.

Pa, ¿adónde se van los gatos cuando les pasa lo mismo que a Achuj?
No sé, Pelito. Lo que sí sé es que va a estar en tu corazón para siempre.

Abu, vos debés saber... ¿Hay un cielo para los gatos?
Los animalitos que se van para siempre se transforman en estrellas, Puro Pelo.

Me gusta que Achuj sea una estrella,
pero me queda muy lejos.
¡Aquí abajo lo tenía muy *veri* cerquita!

Abu, se me acaba de ocurrir, que aunque no haya un cielo para gatos...

O, como vos decís, que se transformó en una estrella lejana...

Mientras esta flor o sus hijas,
nietas, bisnietas vivan en la maceta,
Achuj estará cerca mío.
No voy a olvidarlo.

Claro, Puro Pelo.
En los recuerdos viven para siempre
los seres que amamos...

Y esa margarita, Puro Pelo, servirá para mantener vivo el amor, los enojos,
las alegrías, las travesuras y todo lo que te dio Achuj.

¡Gracias y hasta prontito, abu!

¿Y eso? ¡Papáaa! ¡Mamáaa!

¿Qué pasa, Puro Pelo?
Eso se cayó del techo.

¡Ay! ¡Qué lindo!
¡Es tan chiquito!
¿Qué es?

¡Esta vez no lo trajo
la lluvia!
Seguro vino porque
sabe que yo siempre
quiero tener
otro animalito.
¡MISH!

¿Cómo lo vas a llamar,
Pelito?
Te contestó con
sus estornudos, pa...
Voy a llamarlo Mish.
¡MISH!
¡MISH!
¡MISH!

Mish... ¡te presento a mi familia, amigos y amigos de mis amigos! ♥

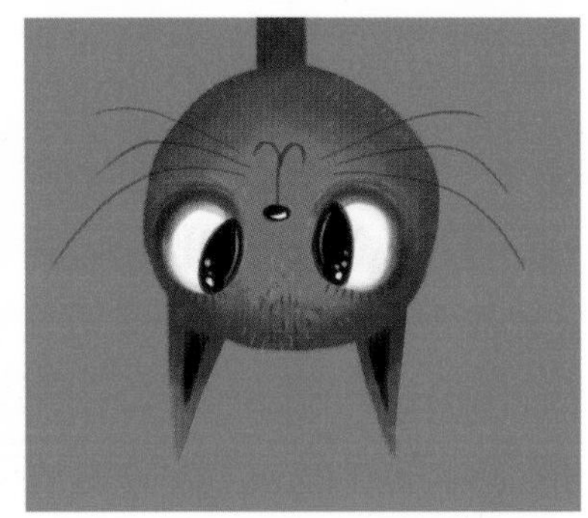

A Mish le gusta
sacarse fotitos.
¡Creo que adorará sali
en las publicidades de
alimentos para gatos!

- OTROS TÍTULOS DE LA COLECCIÓN -

PURO PELO
PINTORA DE SUEÑOS

¡Puro Pelo descubre que sueña en blanco y negro!
Así que para colorear sus sueños, hará más que un cachito de lío.
En este libro, encontrarás risas, disparates y muchos colores. Junto a tu amiga Pelito, además de divertirte, descubrirás qué es el arte y comprenderás el valor de esforzarse para que los sueños se cumplan.

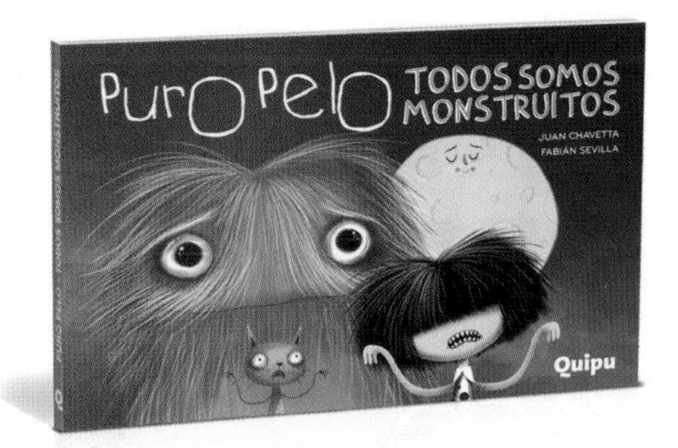

PURO PELO
TODOS SOMOS MONSTRUITOS

Puro Pelo se ha enterado de que el Señor Cuco está triste porque todos creen que es un ser monstruoso.
Junto a tu amiga Pelito descubrirás cómo son los monstruos.
Así, vas a darte cuenta de que cada uno es como es y verás lo hermoso que resulta convivir en un mundo de aceptación y armonía.

PURO PELO
EL VIEJO DE LA BOLSA

Puro Pelo sabe que cerca de su casa anda el archifamoso Viejo de la Bolsa. ¿Quién es? ¿Qué lleva en su pesada bolsa y por qué el solo hecho de escuchar su nombre nos provoca tanto miedo?
Viví esta aventura junto a Pelito. Ella descubrirá la verdad sobre esta leyenda y comprenderá que todos somos diferentes, pero a la vez, únicos e irrepetibles.

Sevilla, Fabián
Puro pelo, el gato y la margarita / Fabián Sevilla ; Juan Chavetta. - 1a ed.- Ciudad Autónoma de Buenos Aires : Quipu, 2015.
64 p. ; 15 x 22 cm. - (Más que viñetas)

ISBN 978-987-504-143-1

1. Historietas. 2. Cuentos Infantiles. I. Chavetta, Juan II. Título
CDD 863.0222

José Bonifacio 2434, Buenos Aires.
Tel - Fax: +54 (11) 4612-3440
info@quipu.com.ar
www.quipu.com.ar
@Quipulibros
/QuipuLibros

Edición: Grupo Editorial
Prologuista: Olga Drennen
Diseño Gráfico: Marulina Acunzo

Hecho el depósito
que marca la ley 11.723
Libro de edición argentina.
Printed in Argentina.

Impreso en Argentina
con Papel de Fuentes Mixtas
y manejo responsable.

Impreso en Gráfica Pinter.
Taborda 48, Buenos Aires, Argentina.
En el mes de octubre 2015.

Quipu